DK 아틀라스 시리즈

Activity Book 3

Coloring & Pattern

세계의 새

델루스

물고기잡이올빼미

낮에는 강가나 호수 근처의 나무에 숨어 있다가 밤이 되면 강이나 호수 위를 낮게 날아다니며 힘센 발로 물고기를 잡는다. 다리와 발에는 털이 없어서 물에 닿아도 젖지 않는다. 다른 올빼미와는 달리 조용히 날기 위한 부드러운 깃털이 없다. 물고기를 집을 때는 조용히 날 필요가 없기 때문이다.

owl

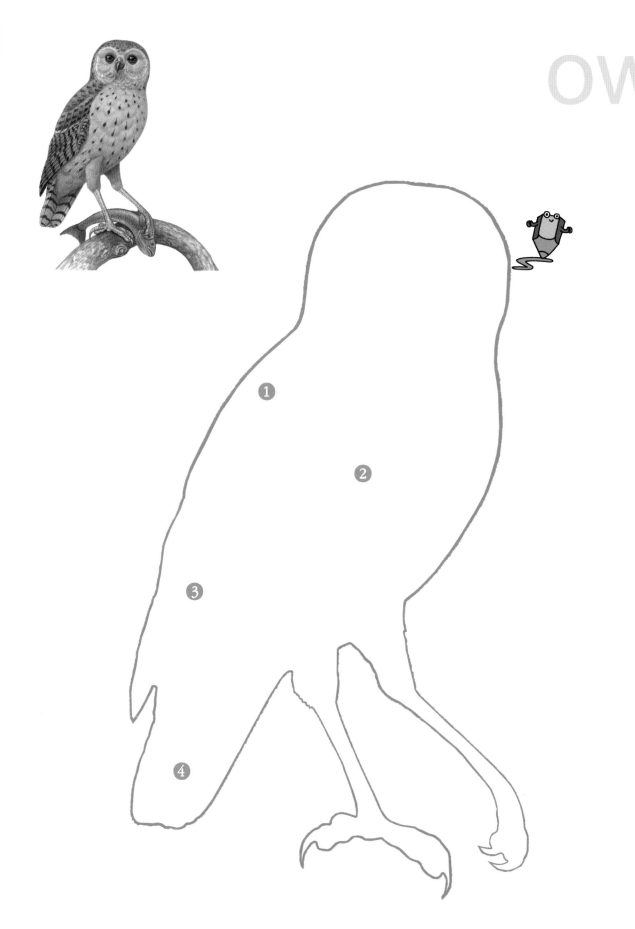

올빼미를 색칠해 보세요.
깃털 무늬를 잘 살펴보고, 색칠하면서 어느 부분인지 알아 보아요.
영어 이름도 따라 써 보세요.

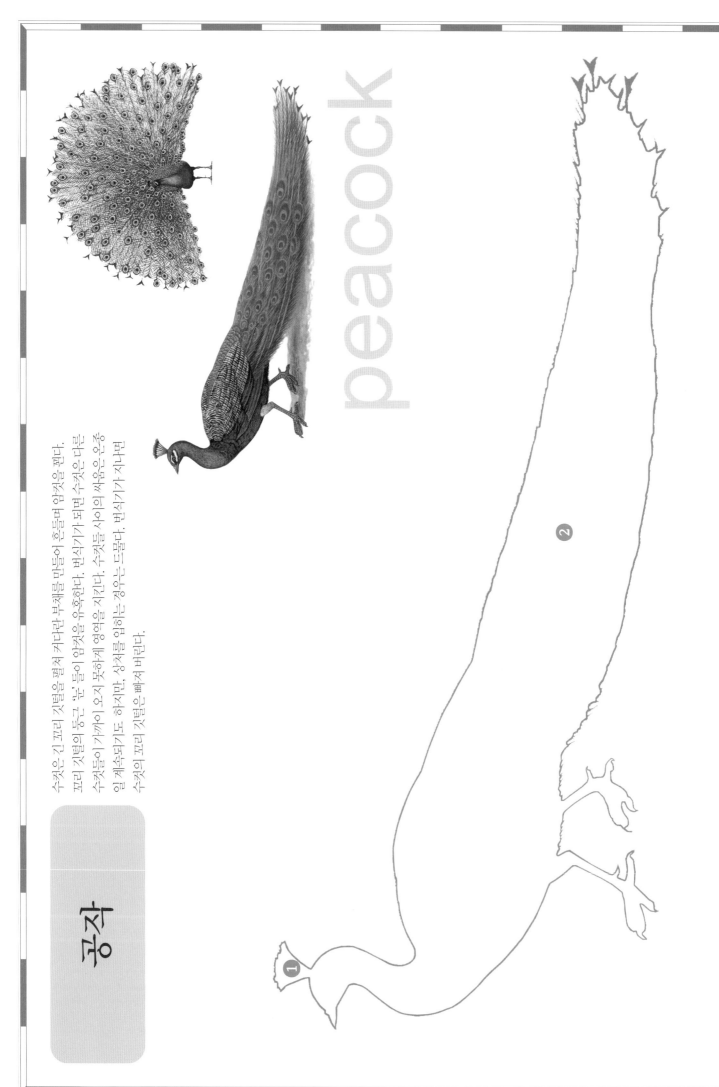

공작

peacock

수컷은 긴 꼬리 깃털을 펼쳐 커다란 부채를 만들어 흔들며 암컷을 꾄다. 꼬리 깃털의 둥근 '눈'들이 암컷을 유혹한다. 번식기가 되면 수컷은 다른 수컷들이 가까이 오지 못하게 영역을 지킨다. 수컷들 사이의 싸움은 온종일 계속되기도 하지만, 상처를 입히는 경우는 드물다. 번식기가 지나면 수컷의 꼬리 깃털은 빠져 버린다.

공작을 색칠해 보세요.
깃털 무늬를 잘 살펴보고, 색칠하면서 어느 부분인지 알아 보아요.
영어 이름도 따라 써 보세요.

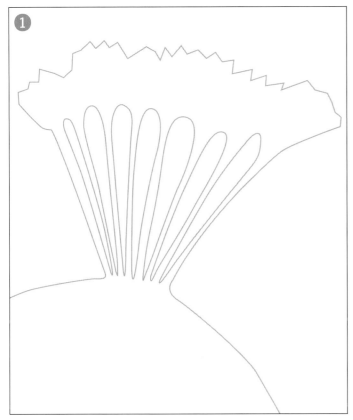

흰줄박이오리

빠르게 흐르는 물에서 산다. 겨울에는 해안의 바위에서 여러 달을 보내고, 여름이 되면 급류가 있는 산으로 이동한다. 수영 실력이 뛰어나서 물살이 세도 헤엄을 잘 친다. 종종 선명한 휘파람 소리를 낸다.

duck

오리를 색칠해 보세요.
깃털 무늬를 잘 살펴보고, 색칠하면서 어느 부분인지 알아 보아요.
영어 이름도 따라 써 보세요.

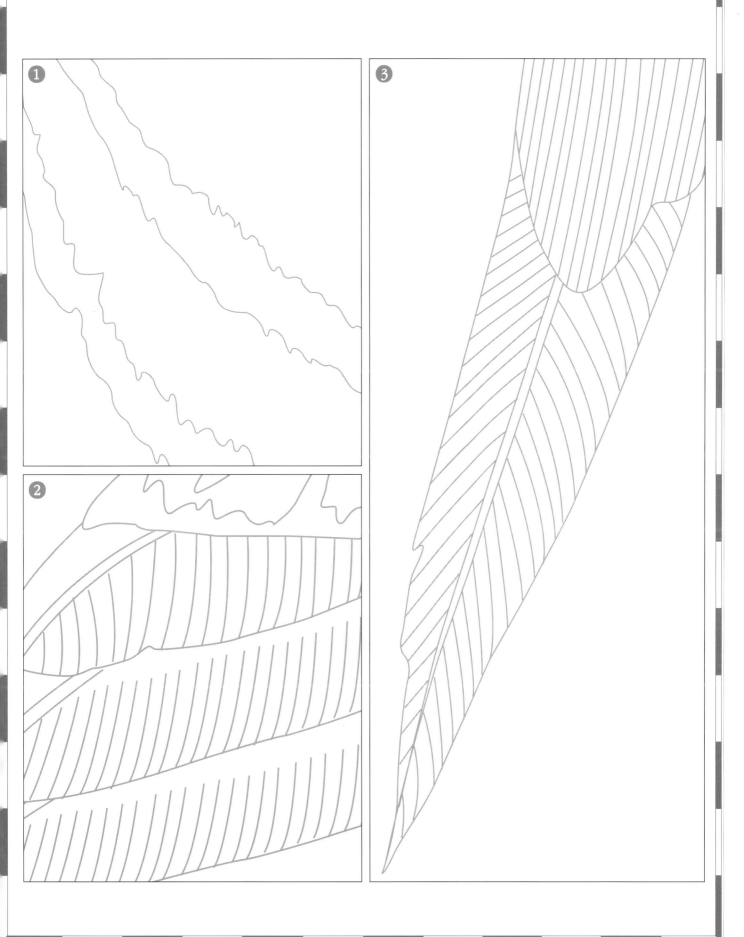

노랑배딱따구리

나무에 여러 개의 작은 구멍을 뚫은 뒤 나무 아래로 내려가 수액이 흘러내리기를 기다린다. 수액이 흘러내리면 솔처럼 생긴 혓바닥으로 핥아 먹는다. 끈적끈적한 수액에 걸려든 곤충도 잡아먹는다. 겨울에는 따뜻한 곳을 찾아 중앙아메리카나 카리브 해의 섬들로 이동한다.

woodpecker

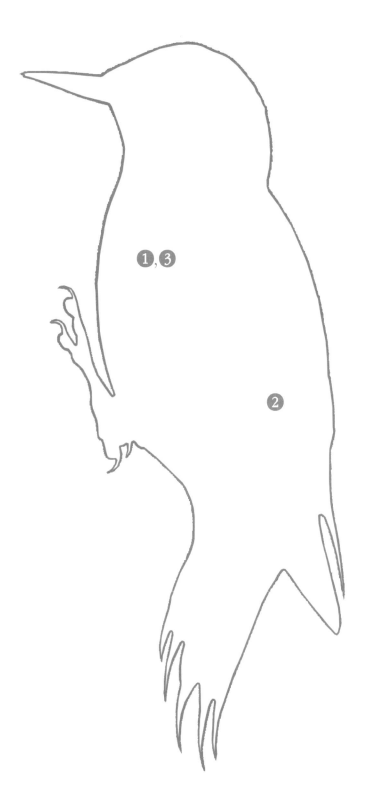

딱따구리를 색칠해 보세요.
깃털 무늬를 잘 살펴보고, 색칠하면서 어느 부분인지 알아 보아요.
영어 이름도 따라 써 보세요.

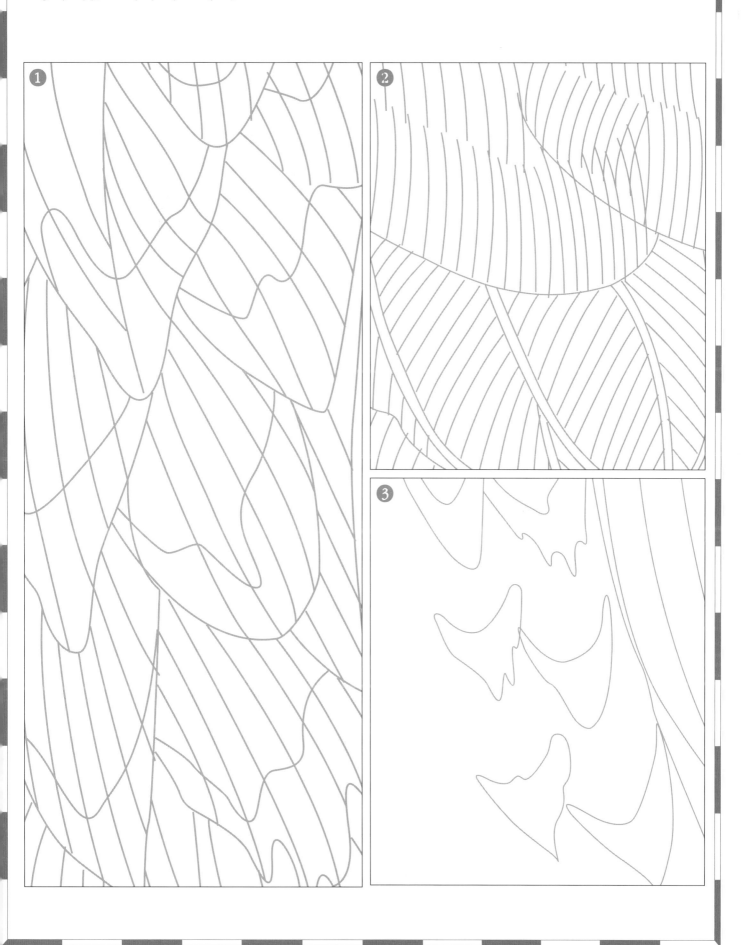

어치

봄이 오면 낙엽 활엽수림에 물건 긁는 소리 비슷한 어치의 울음소리가 자주 들린다. 시끄럽게 울면서 짝을 좇아 나무 사이를 날아다니는 이 새는 도토리를 따 먹으려고 먼 곳까지 이동하기도 한다. 겨울에 먹으려고 도토리를 땅에 묻어 두기도 한다. 어치에 먹히지 않은 도토리는 봄에 싹이 나 자라 숲을 넓힌다. 이 새는 나무 열매, 벌레, 다른 새들의 알과 새끼 등을 먹는다.

jay

어치를 색칠해 보세요.
깃털 무늬를 잘 살펴보고, 색칠하면서 어느 부분인지 알아 보아요.
영어 이름도 따라 써 보세요.

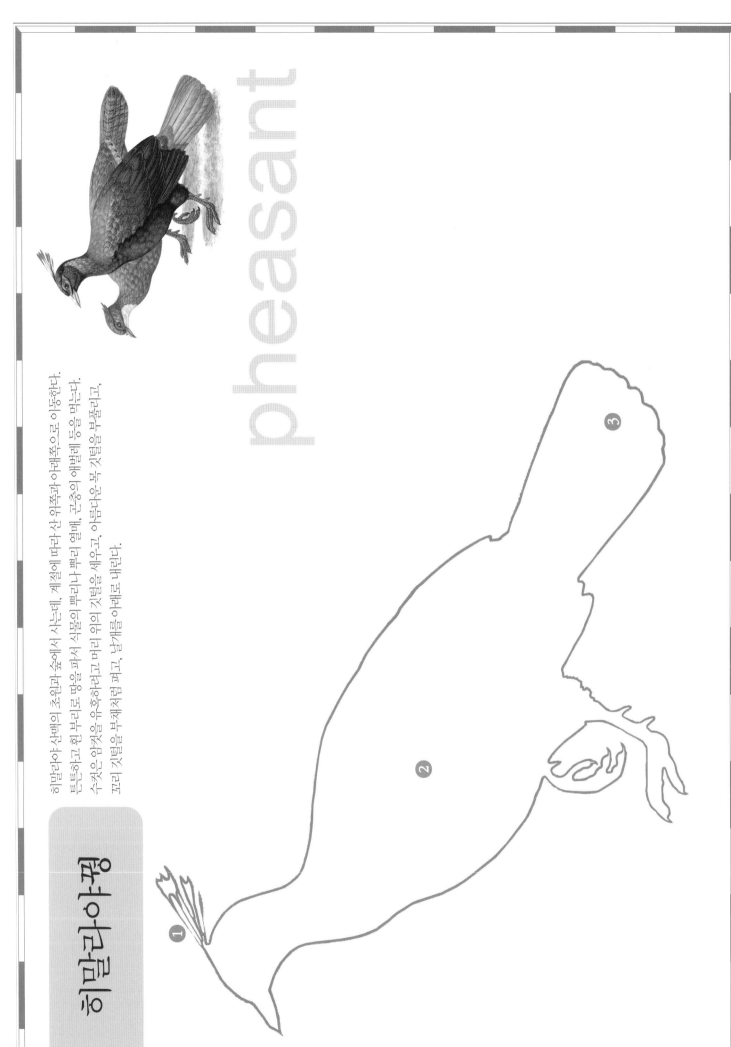

히말라야꿩

pheasant

히말라야 산맥의 초원과 숲에서 사는데, 계절에 따라 산 위쪽과 아래쪽으로 이동한다. 튼튼하고 힘 부리로 땅을 파서 식물의 뿌리나 뿌리 열매, 곤충의 애벌레 등을 먹는다. 수컷은 암컷을 유혹하려고 머리 위의 깃털을 세우고, 아름다운 목 깃털을 부풀리고, 꼬리 깃털을 부채처럼 펴고, 날개를 아래로 내린다.

12

꿩을 색칠해 보세요.

깃털 무늬를 잘 살펴보고, 색칠하면서 어느 부분인지 알아 보아요.

영어 이름도 따라 써 보세요.

아프리카팔색조

작고 경계심이 강한 이 새는 곤충 같은 먹이를 찾으려고 열대 우림 바닥의 작은 나무들 사이를 뛰듯이 날아다닌다. 깃털이 아주 밝고 화려하지만, 숲의 무성한 나뭇잎과 어울려 잘 구별되지 않는다. 적을 만나면 날개를 펴고 부리를 위로 세우고 몸을 바짝 웅크린다.

fairy pitta

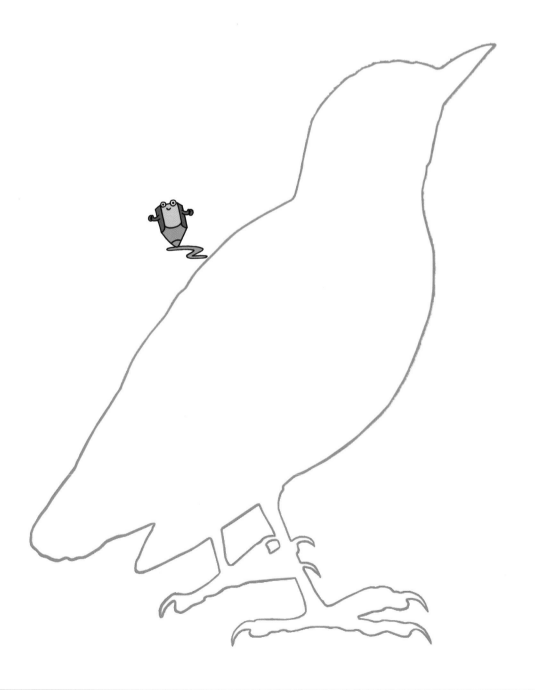

흰뺨직박구리

히말라야 산맥의 2,100m 이상 높은 곳에서 산다. 가끔 나무에 앉아 꼬리를 위아래로 흔들고 큰 울음소리를 낸다. 사람을 두려워하지 않고 호기심이 많아 도시나 마을에서 살 때는 먹이를 훔치려고 집안으로 들어오기도 한다.

bulbul

타조

세계에서 가장 큰 새이다. 눈이 밝아 건조한 사바나에서 힘들이지 않고 뛰어다니며 풀잎, 풀씨, 곤충 등을 찾아 먹는다. 수컷은 땅을 움푹하게 파 둥지를 튼다. 여러 마리의 암컷이 한 둥지에 알을 낳는다.

ostrich

타조

퍼핀

물갈퀴가 있는 발과 작은 날개를 지느러미처럼 움직이면서 물속에서
물고기를 잡는다. 번식기가 되면 더 커지고 힘세진 부리로 짝이
될 상대를 유혹한다. 부리를 이용해 풀에 덮인 절벽 위에서 둥지를
틀 굴을 판다. 새끼의 깃털이 자라면 천적을 피하려고 어두운 굴속
둥지를 떠난다.

puffin

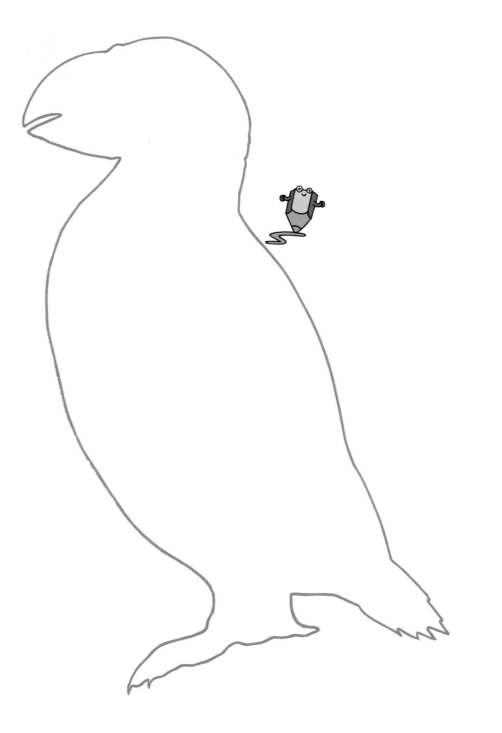

남미홍학

수천 마리의 홍학이 아프리카 호숫가에 무리를 지어 둥지를 틀고 물속의 작은 생물을 먹는다. 부모 새는 새끼들을 배불리 먹이려고 소화관에 있는 작은 주머니에서 우유 비슷한 먹이를 만든다. 이것은 부모 새가 먹은 먹이가 몸속의 분홍색 색소에 물들어 분홍색을 띤다. 깃털이 분홍색을 띠는 것도 마찬가지 이유이다.

flamingo

후투티

영어 이름 '후푸'는 울음소리에서 비롯되었다. 가늘고 구부러진 부리로 곤충 같은 벌레를 찾으며 땅 위를 걷거나 뛴다. 맹금류가 머리 위를 날아가면 어른 후투티는 날개와 꼬리 깃털을 평평하게 쫙 펴고 땅에 엎드려 부리를 하늘로 치켜든다. 공격 자세를 취한 것이다. 흥분하면 머리의 볏을 일으켜 세운다.

hoopoe

부리 모양

새의 부리를 보고 어떤 새인지 찾아 줄로 이어 보세요.

퍼즐 맞추기

다음 퍼즐 조각을 보고 어떤 새가 될지 생각해 보고 답을 써 보세요.

답:

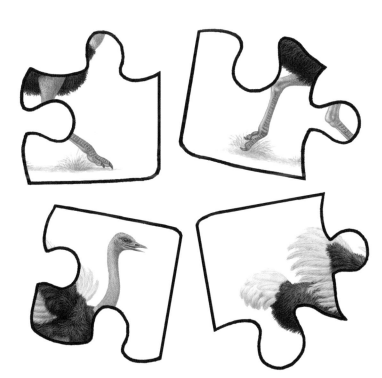

답:

세계의 새

다음 글을 읽고 보기에서 찾아 빈칸에 써 보세요.

보기

북극제비갈매기

쿠바벌새

아프리카타조

느시

• 세계에서 가장 작은 새는?

• 세계에서 가장 큰 새는?

• 몸무게가 가장 무거우면서도 날아다니는 새는?

• 가장 멀리 이동하는 철새는?

사라져 가는 새들

다음 중 멸종위기인 새를 찾아서 동그라미를 쳐 보고, 왜 멸종위기에 처해졌는지
이야기해 보세요.

✏ 해답

20쪽

✏ 부리 모양

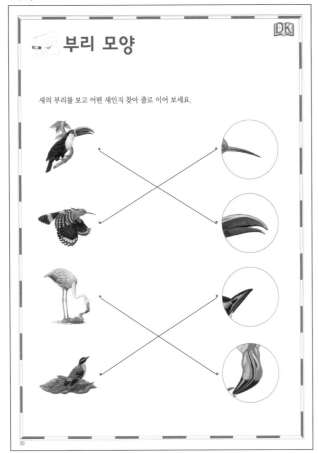

새의 부리를 보고 어떤 새인지 찾아 줄로 이어 보세요.

21쪽

✏ 퍼즐 맞추기

다음 퍼즐 조각을 보고 어떤 새가 될지 생각해 보고 답을 써 보세요.

답: **후투티**

답: **타조**

22쪽

✏ 세계의 새

다음 글을 읽고 보기에서 찾아 빈칸에 써 보세요.

보기

북극제비갈매기

꿀벌새   아프리카타조   느시

• 세계에서 가장 작은 새는?   쿠바벌새

• 세계에서 가장 큰 새는?   아프리카타조

• 몸무게가 가장 무거우면서도 날아다니는 새는? 느시

• 가장 멀리 이동하는 철새는?   북극제비갈매기

23쪽

✏ 사라져 가는 새들

다음 중 멸종위기인 새를 찾아서 동그라미를 쳐 보고, 왜 멸종위기에 처해졌는지 이야기해 보세요.